漫話國寶

04 故宮博物院

杜瑩◎編著　　　朝畫夕食◎繪

中華教育

漫話國寶 04 故宮博物院

杜瑩◎編著
朝畫夕食◎繪

		印	排	裝幀設計	責任編輯
		務	版		
		劉漢舉	陳淑娟	陳淑娟	吳黎純

出版　中華教育
　　　香港北角英皇道四九九號北角工業大廈一樓B
　　　電話：（852）2137 2338　　傳真：（852）2713 8202
　　　電子郵件：info@chunghwabook.com.hk
　　　網址：http://www.chunghwabook.com.hk

發行　香港聯合書刊物流有限公司
　　　香港新界荃灣德士古道220-248號
　　　荃灣工業中心16樓
　　　電話：（852）2150 2100　　傳真：（852）2407 3062
　　　電子郵件：info@suplogistics.com.hk

印刷　深圳市彩之欣印刷有限公司
　　　深圳市福田區八卦二路526棟4層

版次　2021年3月第1版第1次印刷
　　　©2021中華教育

規格　16開（170mm×240mm）
ISBN　978-988-8758-09-8

•目錄•

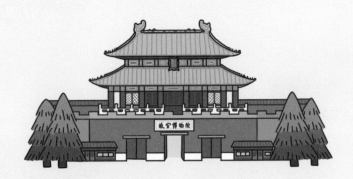

　　故宮博物院是在明、清兩代皇宮（紫禁城）
及其收藏的基礎上建立起來的綜合性博物院。故
宮博物院不但藏有 180 萬餘件（套）的各類珍品，
而且它本身的建築就是世界上現存規模最大、保
存最為完整的木質結構古建築羣。可以毫不誇張
地說，這裏就是人類藝術的寶庫。

第一站

銅鎏金
吉祥缸

★ 個人檔案 ★

姓　　名：銅鎏金吉祥缸

年　　齡：200 多歲

血　　型：銅金混合型

職　　業：水缸

出生日期：清朝

出生地：紫禁城

現居住地：故宮博物院

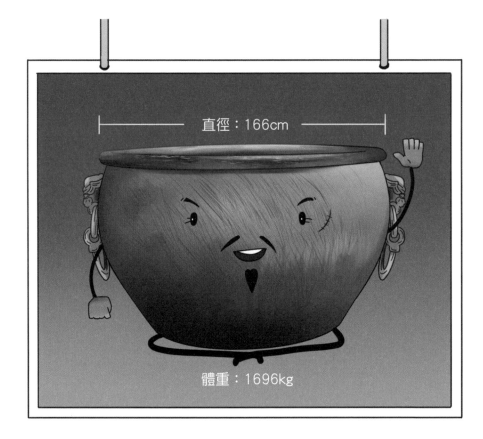

直徑：166cm

體重：1696kg

2月23日　星期六　　　　　小雨

視線

　　一走進故宮，我的眼睛就離不開這些大小缸了，尤其是這位周身閃着金光的小缸大爺，看着特別神氣和威風。雖然他的個子比我矮一些，但是肚子好大呀，我和王大力一起手拉手，都還差好大一截才能圍住他呢。

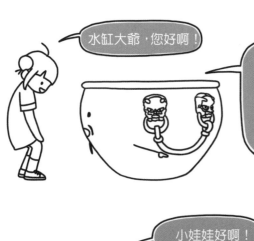

水缸大爺，您好啊！

好好！不過拜託你連名帶姓一起叫好不好，我的全名是銅鎏金吉祥缸，紫禁城裏有那麼多口大缸，你這麼一叫，還不把所有的大爺都招來了！

小娃娃好啊！

大大……大爺們好！

5

這紫禁城裏到底有多少口大缸啊？

紫禁城曾經有大缸 308 口，但是時移世易，到現在大概只剩下 100 多口了。

銅缸大爺，您塊頭兒還真大！

叫全名！全名！

小屁孩懂啥？這叫福相！

嫌我肥嗎？

肥是一種人生態度！

青銅缸

紫禁城的大缸分成 三類：

銅鎏金吉祥缸、「燒古」青銅缸和鐵鑄大缸。

銅鎏金吉祥缸現在有18口，最為貴重，主要擺放在太和殿、保和殿、乾清門兩側。

而後宮東西長街上擺放的就是較小的鐵缸或者青銅缸了。

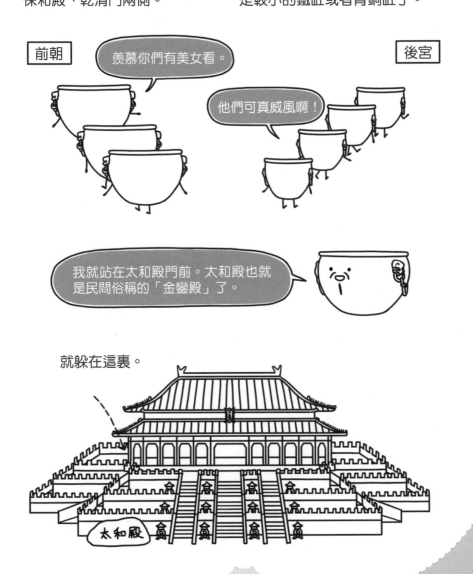

前朝

羨慕你們有美女看。

他們可真威風啊！

後宮

我就站在太和殿門前。太和殿也就是民間俗稱的「金鑾殿」了。

就躲在這裏。

太和殿

皇帝都會在太和殿舉行**盛大典禮**，比如登基即位、大婚、冊立皇后、命將出征等，還有每年的**重要節日**，比如萬壽節、元旦、冬至，皇帝會在太和殿接受文武官員的朝賀，並向王公大臣賜宴。

重要的事情都交給你了！

金鑾殿上鋪的可都是「金磚」哦！

哇！皇帝也太有錢了吧，竟然用金子鋪地。

我來挖挖看！

不不，雖然名字叫「金磚」，但這磚卻不是用黃金打造的，只是因為製造的價格**昂貴**，才被稱為「金磚」。這種磚是專門在蘇州製造的，顏色是淡黑色的，看着格外油潤、光亮。

低調奢華有內涵，說的就是我！

太和殿兩側的四口鎏金大銅缸被戲稱為「四大金剛」，每口都能裝三噸水呢！

四 大 金 剛

洗澡？

這麼大的水缸，又裝這麼多水，到底是用來幹嗎的呢？

洗衣服？

燒飯？

玩耍？

9

膽大包天，竟敢在金鑾殿前瞎胡鬧。

放我們出去吧！

那這些大水缸到底是用來幹甚麼的呢？

原來這些大水缸是用來**儲水防火**的。

紫禁城消防隊

我們準備好了！

紫禁城的房子都是磚木結構，最怕火災，如果不能馬上澆水撲救，火勢會迅速蔓延，這座價值連城的珍貴建築就岌岌可危了。

我太容易着火了，一定要好好保護我！

所以紫禁城的建造者對消防工程非常重視，才會在宮殿前放置這些大缸，稱為「門海」。

宮裏失火不叫「着火」，為了避諱，稱為「**走水**」。一旦「走水」，太監、宮女就以最快的速度從就近的大缸裏取水滅火。

走水啦！

可是北京的冬天很冷啊，缸裏的水會結冰的吧，那可怎麼辦呢？

來來來，火先生我們來談一談，您要發威就麻煩您夏天的時候發威，冬天怪冷的，您老也歇歇！

我也控制不住自己內心的小宇宙。

不用擔心，一切都妥妥的。👍

每年到了小雪時節，宮內的太監就會給這些大缸穿上厚厚的棉衣；給他們戴上厚厚的帽子——**缸蓋**；大水缸下面的石座裏還會加一盆**炭火**，炭火晝夜不息地燃燒着，你瞧這些大缸，還能享受烤火的待遇呢！所以大缸裏的水絕對不會結冰。

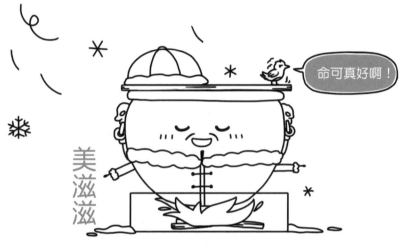

命可真好啊！

美滋滋

保暖工作一直要到第二年的**驚蟄**時節才能結束，那時氣候已經逐漸轉暖，大地回春，太監就會給大缸脫去棉衣，摘去「帽子」，撤去炭火。

我的春天又回來啦！

這麼大的缸，做一個要花好多錢吧？

的確，尤其我們鎏金的銅缸更是造價不菲。

根據清代乾隆年間內務府的記載，直徑 1.66 米的大銅缸，大概重 1696 公斤，造這麼一個大銅缸大約要花費 500 多兩白銀呢！再加上銅缸上的 100 兩黃金，鑄造費共計至少白銀 1500 兩。

我大概 30 公斤。　我大概 40 公斤。

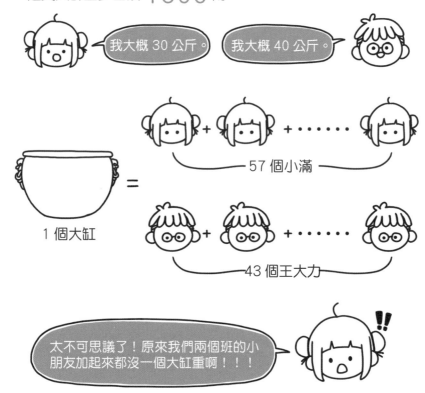

1 個大缸

57 個小滿

43 個王大力

太不可思議了！原來我們兩個班的小朋友加起來都沒一個大缸重啊！！！

您身上怎麼傷痕纍纍的，看着也不像是風吹雨打造成的呀？

這些傷痕的確不是自然風化所造成的，說起來得回到100多年前，回到那段屈辱痛心的歲月。

1900年，八國聯軍用炮彈炸開了中國的大門，他們攻佔北京城，並瘋狂地在紫禁城中大肆**掠奪**，價值連城的寶物被一掃而空。

耶！都是我們的啦！

太狠了吧！我就一裝水的啊！

搶紅了眼的列強甚至連這些金色大缸也不放過，既然搬不走，那就用刀把表面的**鍍金**刮下來帶走吧！所以，這些鎏金銅缸身上就留下了這一道道觸目驚心的刀痕。

小小博士

　　紫禁城裏的大缸都是明清兩代鑄造的，雖然大缸的樣式、風格各不相同，但是缸的作用都是一樣的。

　　明朝的大缸主要是用鐵或者青銅製成的，鎏金銅缸很少；大缸兩邊的耳朵上會加上鐵環。清代很多都是鎏金大銅缸，或者「燒古」青銅缸。明朝的大缸樣式上寬下窄，古樸大方；清朝大缸的製作則更為精良，顯得尊貴無比，兩側耳朵上裝飾的是獸面銅環。缸的式樣上，清朝也有別於明朝，清朝的缸口收得小一些，但肚子特別大。

哈哈劇場

之

「着火了」

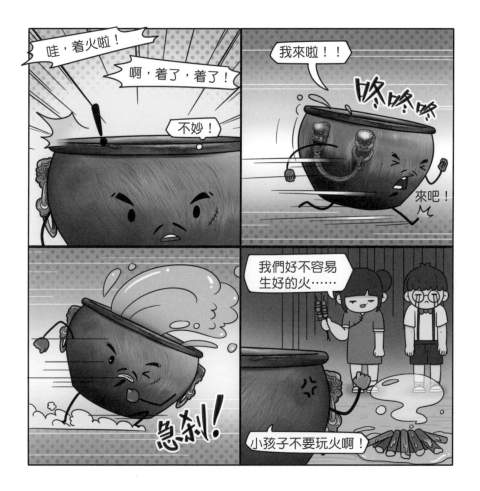

文物日誌

星期 ____

第二站

正　大　光　明　匾

⭐ 個人檔案 ⭐

姓　　名：<u>正大光明匾</u>

年　　齡：<u>200 多歲</u>

血　　型：<u>木型</u>

職　　業：<u>匾額</u>

出生日期：<u>清朝</u>

出 生 地：<u>紫禁城</u>

現居住地：<u>故宮博物院</u>

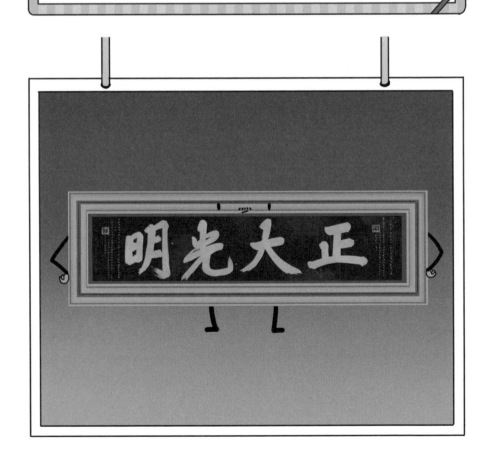

在故宮裏有位特別重要的牌匾先生，他整日都懸掛在高高的大殿上。據說，還藏着關係到清朝皇位繼承的大祕密。可是故宮有這麼多坐宮殿，他會在哪個大殿裏呢？

到底是皇帝的家啊，果真是金碧輝煌！

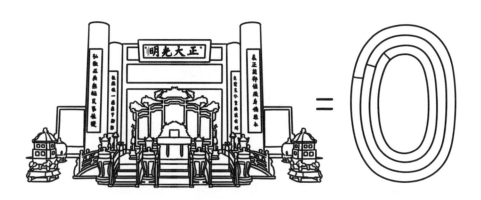

哎喲，這兒是皇帝的客廳嗎？也太大了吧！跟學校大禮堂似的，這走一圈感覺是去操場跑了個四百米。

嘖嘖嘖，這龍椅金光閃閃的，不會真的是金子做的吧？！

喂，小孩，你在幹嗎？

誰在叫我！

是我，在你頭頂呢！

你是……明光大正匾？

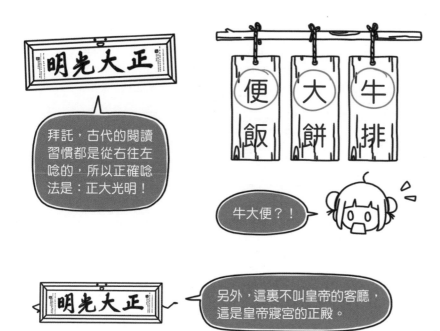

拜託，古代的閱讀習慣都是從右往左唸的，所以正確唸法是：正大光明！

牛大便？！

另外，這裏不叫皇帝的客廳，這是皇帝寢宮的正殿。

乾清宮是皇帝的寢宮，明朝的十四個皇帝和清朝的順治、康熙兩個皇帝都在這裏居住。平日裏，他們還在這兒批閱奏摺、接見大臣和處理日常政務。

後來，康熙皇帝的兒子雍正皇帝將寢宮搬到了養心殿，不過他還是經常會到乾清宮來批閱奏摺、處理政務的。

正大光明匾就掛在乾清宮的正殿內。

乾清宮可是**內廷後三宮**中的第一座宮殿。

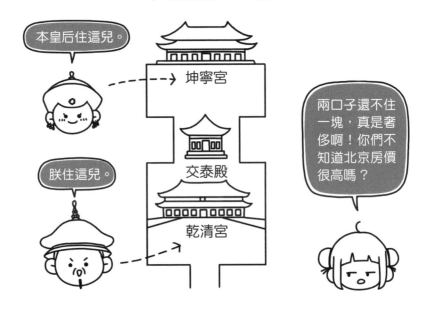

內廷後三宮在**前朝三大殿**的後面。還記得前面講過的銅鎏金吉祥缸大爺嗎？他就待在前朝三大殿的太和殿側面。

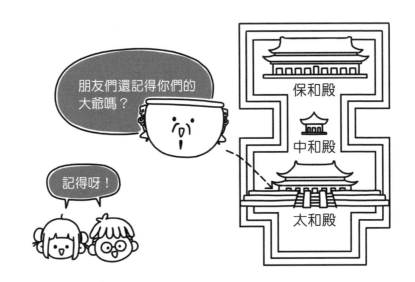

「正大光明」四個大字是皇帝自己寫的吧？

誰敢在朕的頭上寫字？

這四個字最早是出自順治皇帝之手，意思是帝王走上承前啟後的**光明正道**。

沒錯，我就是電視劇裏常說的那個愛董鄂妃愛得死去活來的大情聖！

順治帝是清朝的第三位皇帝，也是清兵入關後的首位皇帝，他的媽媽就是非常著名的孝莊文皇后博爾濟吉特氏。

毫不謙虛地說，我的粉絲基礎還是非常好的，這都拜你們的影視業所賜。

怎麼看着有點面熟？

順治皇帝的兒子康熙皇帝**依樣畫葫蘆**，描字刻石，
將摹拓他爸的字跡高高地掛在乾清宮的正殿上。

看我畫得像不像！

「正大光明」四個大字的原跡就藏在故宮的御書處。

後來康熙皇帝
的孫子乾隆皇帝又
摹拓了一遍。

學人精！

等到乾隆的兒子嘉慶皇帝時，因為**失火**，匾額被燒了，
嘉慶皇帝便命人又重新摹拓。

現在懸掛着的本大爺我，
就是那個時候摹拓的。

這麼多皇帝，我都有點糊塗了。

 是時候讓你們了解下大清朝的皇帝們了！

生命誠可貴，愛情價更高。

我的在位時間最長。

 努爾哈赤（天命）

皇太極（天聰）

 福臨（順治）

 玄燁（康熙）

是朕讓這塊匾身價百倍的！

有本事比誰活得長啊！

比不過。

我也比不過。

 胤禛（雍正）

 弘曆（乾隆）

 顒琰（嘉慶）

 旻寧（道光）

我的小老婆你們肯定熟。

我的老媽你們肯定熟。

我的命最苦了！

我對不起老祖宗們啊！

 奕詝（咸豐）

 載淳（同治）

 載湉（光緒）

 溥儀（宣統）

牌匾先生，為甚麼雍正皇帝讓您身價百倍了呢？

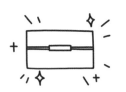

因為我的背後藏有一個非常非常重要的匣子。這是一個決定太子命運的「建儲匣」。

明光大正

這個，我們還得從大名鼎鼎的康熙皇帝說起。康熙皇帝生了 35 個兒子，皇位究竟該傳給哪個皇子呢？

A.老大　　B.　　C.老三

D.老四　　F.老六

G.老七　　　　I.老九

J.老十　　　　L.十二

這個我知道，早在周朝，統治者就想出由嫡長子來繼承皇位的辦法了啊。

明光大正

但是大清是少數民族建立的政權，他們不實行漢族皇帝的傳統立長制，自己也沒有明確的立儲制度。

雄才大略、果敢堅毅的康熙皇帝，在繼承者的問題上卻成了個優柔寡斷、舉棋不定的人。

啊啊啊，我有選擇困難症！

皇子們為了爭奪至高無上的權力，明爭暗鬥，骨肉相殘，上演了歷史上非常著名的

「九子奪嫡」。

清朝第一家庭打鬥現場

在這場驚心動魄的奪嫡鬥爭中，皇四子胤禛終於殺出了重圍，獨佔鰲頭，他就是後來的雍正皇帝。

偷偷寫

雍正皇帝為了避免這種悲劇的再現，採取了祕密建儲的辦法。皇帝生前不再公開立皇太子，而將皇位繼承人的名字祕密寫在紙上。

詔書 **一式兩份**，分別保存：

一份放在皇帝身邊，一份封存在「建儲匣」內，放到「正大光明」牌匾的後面。

可能在這裏！

肯定在這裏！

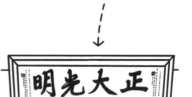

等到皇帝死了，就由大臣們共同取下匣子，和皇帝藏在身邊的那份遺詔相**對照**，驗證無誤就可繼位。

怎麼樣？對不對？

乾隆皇帝就是在這種祕密建儲制度下第一個繼位的皇帝。之後的嘉慶、道光、咸豐三位皇帝也都是按此制度登上天子寶座的。

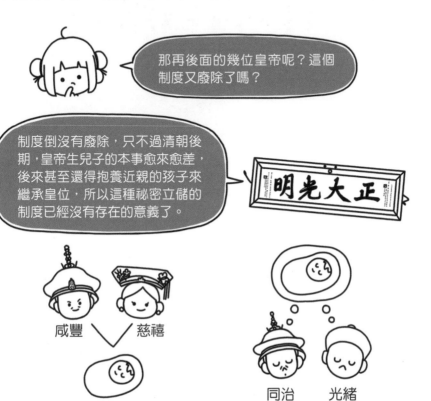

> 那再後面的幾位皇帝呢？這個制度又廢除了嗎？

> 制度倒沒有廢除，只不過清朝後期，皇帝生兒子的本事愈來愈差，後來甚至還得抱養近親的孩子來繼承皇位，所以這種祕密立儲的制度已經沒有存在的意義了。

正大光明

咸豐 — 慈禧

同治　　光緒

咸豐皇帝只有一個兒子，就是慈禧給他生的同治皇帝，而同治和光緒皇帝連個兒子都沒有。

> 你以為我想啊！

> 您計劃生育政策貫徹得太到位了！

獨生子女證

計生委工作人員　　咸豐

小小博士

我們已經知道了清朝的皇帝不是住在乾清宮就是住在養心殿，而皇后住在坤寧宮，那皇帝的妃子們又住在哪裏呢？在乾清宮和坤寧宮的兩側排列着東、西六宮，這裏就是皇帝的妃子們居住、休息的地方了。東六宮有：景仁宮、承乾宮、鍾粹宮、景陽宮、永和宮、延禧宮；西六宮有：永壽宮、翊坤宮、儲秀宮、咸福宮、長春宮、啟祥宮。慈禧太后當年選秀入宮，就是住在儲秀宮。

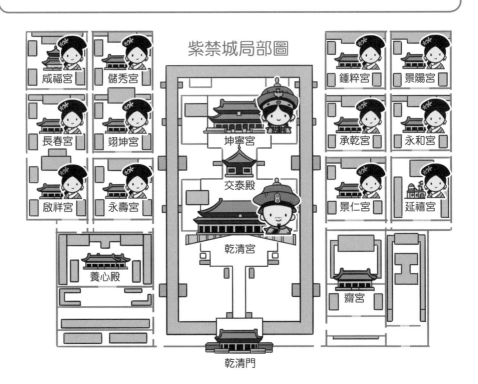

紫禁城局部圖

咸福宮　儲秀宮

長春宮　翊坤宮

啟祥宮　永壽宮

坤寧宮

交泰殿

乾清宮

養心殿

鍾粹宮　景陽宮

承乾宮　永和宮

景仁宮　延禧宮

齋宮

乾清門

哈哈劇場

之

「乘車」

▼ 文物日誌 ▼

星期 ＿＿＿

☀ ☁ 🌧 ❄

第三站

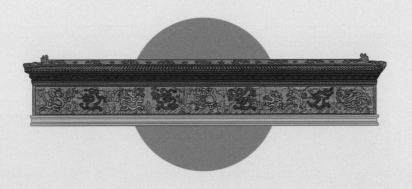

九龍壁

個人檔案

姓　　名：九龍壁

年　　齡：200 多歲

血　　型：琉璃與玉石混合型

職　　業：影壁

出生日期：清朝

出生地：紫禁城

現居住地：故宮博物院

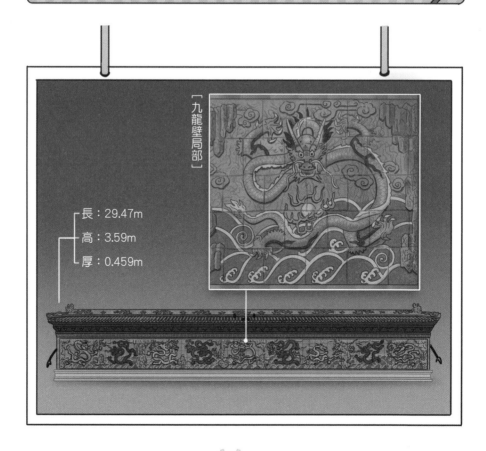

［九龍壁局部］

長：29.47m

高：3.59m

厚：0.459m

3月16日 星期六 晴

　　爺爺說，乾隆皇帝在紫禁城裏造了一座九龍壁，上面有許多張牙舞爪的飛龍，條條神氣活現，特別精美。聽說這位九龍壁先生還是紫禁城裏著名的數學家，做起算術來很厲害，我好想跟他決一高下呀！

九龍壁在哪裏呢？地圖上指示的地方好像就是在這附近呀！

小朋友，腦袋撞疼沒？

您說呢？我這人肉腦袋跟您這石頭牆壁相撞可不就是雞蛋碰石頭嘛！

您說您這麼大個塊頭擋在道上幹嗎？

我這可不叫擋道。

在中國的傳統建築理念中，不喜歡讓人一眼就能望到居所的客廳或者臥室，所以修建房屋時，常常會在大門前造一堵用於遮擋視線的牆，

這稱為影壁，也叫照壁。

小滿，你抱着個掃把幹嗎？

這叫猶抱琵琶半遮面。

還不好好做值日！

我就是影壁，名字叫作九龍壁。

原來您就是大名鼎鼎的九龍壁先生呀！

　　紫禁城的影壁可不止九龍壁這一座，東西六宮的宮殿庭院裏都建有影壁，有的是**木頭**做的，有的是**石頭**雕的，也有的是**琉璃**做的。

大家早！

木兄，琉璃兄，早上好！

石兄早啊！

　　影壁上還裝飾着各種寓意吉祥的雕刻圖案，漂亮極了。

哇，九龍壁先生，您身上的龍在陽光下會閃閃發光呢，好像馬上就要騰雲駕霧一般。

小滿，你在畫龍點睛嗎？

我在給龍畫眼影。

這黑乎乎的算啥？

這是最新潮的煙熏妝！

因為這些龍都是用琉璃燒製的，所以看着流光溢彩、變幻瑰麗。再配上山石雲海的背景，就顯得更為逼真了。

來，跟我一起上天入地，暢遊四海。

　　九龍壁上有 9 條大龍，正中間是一條黃色的大龍，雙目炯炯有神，威風凜凜，象徵尊貴無比的天子。黃龍的左右兩側各有藍色和白色的兩條大龍，正在追逐火焰寶珠。最外側左右兩邊都有一黃一紫兩條大龍，動感十足，風姿雄健。

我們是稱霸天宮、踏平海底的九大天王！

這 9 條大龍都是以**高浮雕**的手法製作而成的，最高部位高出壁面 **20** 厘米，形成很強的立體感，看上去活靈活現的。

說起九龍壁的製作過程，還有個小故事呢。

據說當時琉璃磚已經全部燒製完成，工程也進入到了組合安裝的最後階段。

可沒想到有一塊琉璃磚在搬運的時候被不小心摔碎了。

呆若木雞

瑟瑟發抖

這時離完工日期已所剩無幾，重新燒製肯定是來不及了，耽誤工期也是死罪一條。

正在這千鈞一髮之際，一位聰明的工匠想出了一個冒險的主意。他用一塊上好的**楠木**依照破碎琉璃磚的圖樣進行雕刻，並刷上了**油漆**以假亂真。

工程驗收那日，乾隆皇帝帶着大臣如期前來，對氣勢磅礴、栩栩如生的九龍壁讚不絕口，根本就沒發現工匠的小祕密。這位聰明的工匠**移花接木**，成功化解了這場危機。

找不到啊！

掃描失敗

就在這裏！

200 多年過去了，如今九龍壁上這條琉璃龍肚子上的白漆早就已經剝落，顯露出木頭本來的面目，好像在將當年那段驚險的往事跟大家娓娓道來。

左數第三條龍的下部

???

可是……為甚麼這塊照壁上要設計 9 條龍呢？

又為甚麼要用石頭隔成 5 個空間呢？

我是分隔符。

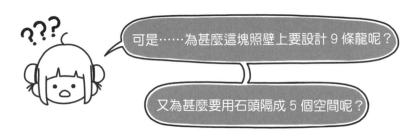

因為「**九**」和「**五**」在古代有着特殊的意義。

我倆最高！

中國古代把數字分為陽數和陰數，1、3、5、7、9 這些奇數為陽，0、2、4、6、8 這些偶數為陰。陽數中九為最高，五剛好居正中。

所以就以「九」和「五」象徵帝王的權威，帝王也被稱為

「**九五之尊**」。

你往上看，看看我的正脊，上面也裝飾着 9 條小龍呢；往下看看簷下斗拱之間，用了九五 45 塊龍紋墊拱板；你再數數我的壁面，一共有 270 塊，也是九五的倍數呢。

$5 \times 9 = 45$

$$\begin{array}{r} 6 \\ 45 \overline{\smash{)}270} \\ 270 \\ \hline 0 \end{array}$$

我們在這裏！

墊拱板

不僅是在九龍壁上，象徵着高貴的「九」和「五」兩個數字，在皇帝的**服飾**、住的**宮殿**上都有所體現。

比如皇帝的衣服——**龍袍**。

皇帝穿的袍子叫龍袍。清朝皇帝的龍袍上就繡着**九條金龍**：胸前、背後各一條，左右兩肩各一條，前後膝蓋處各二條，還有一條繡在衣襟裏面，一般不大容易看到。因為兩肩上的龍前後都能看到，所以無論從正面看還是從背面看，看到的都是五條龍，與「九五」正好吻合。

比如皇帝的寢宮——**乾清宮**。

寬 5 開間

長 9 開間

請問這裏有多少開間？

乾清宮的屋脊上還有一排小獸。領頭的是騎鳳仙人，
騎鳳仙人後面就跟着 9 個小瑞獸。

騎鳳仙人　龍　鳳　獅子　海馬　天馬　押魚　狻猊　獬豸　斗牛

喂，你叫甚麼名字啊？

我叫斗牛。

「鬥牛」不是在
西班牙嗎？

小牛，
來我這
裏玩！

被老師發現偷偷講話會被罰站的。
你跟上，等下我慢慢跟你講。

小小博士

　　說起九龍壁，除了紫禁城裏的這一座，還有兩座同樣聲名遠播的彩色琉璃九龍壁。

　　一座在北京的北海，非常華麗精美。它由彩色琉璃磚砌成，正反兩面各有九條紅黃藍白青綠紫七色的大龍。

　　另一座在山西大同市內，是現存規模最大的一座九龍壁。原來是明太祖朱元璋的第十三子代王朱桂府前的一座照壁，壁上雕有九條七彩雲龍，這些龍騰雲撥霧，栩栩如生。

　　九龍壁是中國明清時期的珍貴建築，無不彰顯着皇家建築的富麗堂皇。

我們是

中國龍

哈哈劇場

之

「拼圖」

文物日誌

星期 ____

第四站

太和殿屋脊上的神獸

★ 個人檔案 ★

姓　　名：太和殿屋脊上的神獸

年　　齡：500 多歲

血　　型：琉璃型

職　　業：守護神

出生日期：明朝

出生地：紫禁城

現居住地：故宮博物院

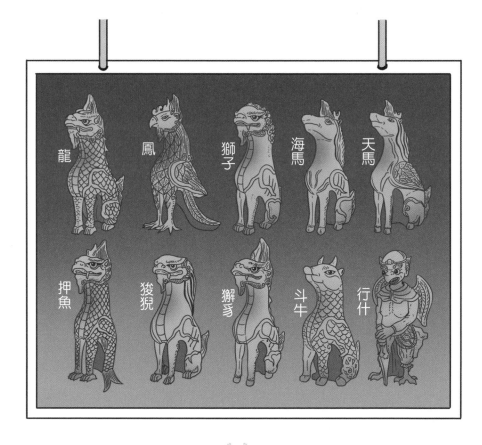

龍　　鳳　　獅子　　海馬　　天馬

押魚　　狻猊　　獬豸　　斗牛　　行什

3月29日　星期五　　　　　　　　多雲 ☁

乾清宮屋脊上的那排小獸太有意思了，個個踢着正步，威風凜凜的。不但長相各不相同，名字還相當霸氣。對了，尤其那個叫「鬥牛」的，「鬥牛」不是在西班牙嗎？跑到中國故宮來幹嗎啊？

擠進來

安靜！開始報數！

咦，怎麼多了一個？

報告老師，剛才在九龍壁先生那兒見到你們排着隊走過，我好奇就跟了上來。

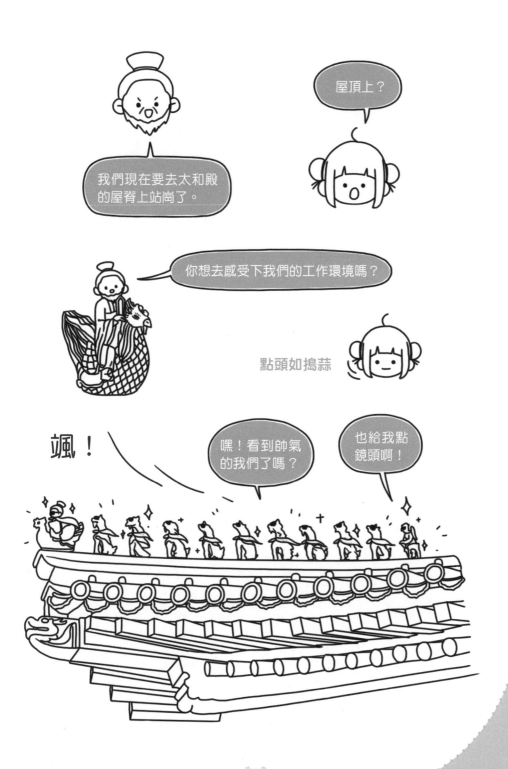

中國的古建築物一般有五條脊，

一條 正脊 和四條 垂脊。

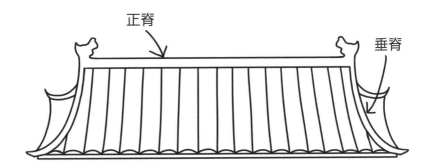

正脊

垂脊

古人喜歡在垂脊上裝飾很多小動物，他們管這些小動物叫作 垂脊獸。到了清代，形成了常見的以「仙人騎鳳」領頭的小動物隊列形態。

哇，這工作也太適合耍帥了吧！

屋頂上最靚仔的就是我！

小滿，我的手好酸。

不過，話說回來，到底是甚麼工作需要站在高高的屋頂上呢？

暫且稱為古代保安吧！

保安？

現代保安　　　　騎鳳仙人

你們的安危，由我們來守護！

古人在屋脊上放置各類「仙人走獸」，以盼望得到他們的 **幫助**，驅邪、避災、保佑家宅的平安。

雖然風裏來、雨裏去、太陽暴曬、冰雪肆虐，還有這可惡的霧霾，但是能守衛着紫禁城，我們還是感到無比的自豪。

嗚嗚嗚，早上剛吹好的髮型啊！

冷冷的冰雨在臉上胡亂地拍。

我和烤肉只差一把孜然。

誰給我圍條圍巾吧！

可您為甚麼要騎在鳳凰上呢？

我的來頭可大着呢。

他是齊國的君主，

大家學過成語「濫竽充數」吧，裏面那個喜歡獨奏，讓南郭先生捲鋪蓋走人的君主就是他了。

但是這位君主聽信奸臣的讒言，結果被敵人打得落花流水，逃命途中差點被敵兵追上一命嗚呼。

傳說幸好這時有隻鳳凰路過，他乘着鳳凰渡過大河，絕處逢生。所以「仙人騎鳳」就有「逢凶化吉」的寓意。

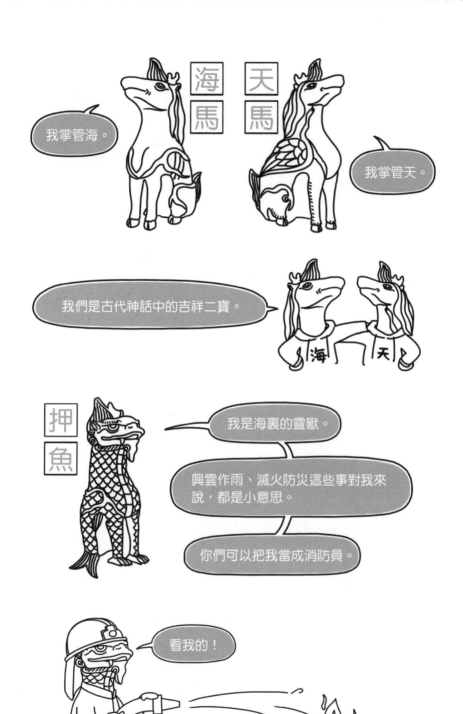

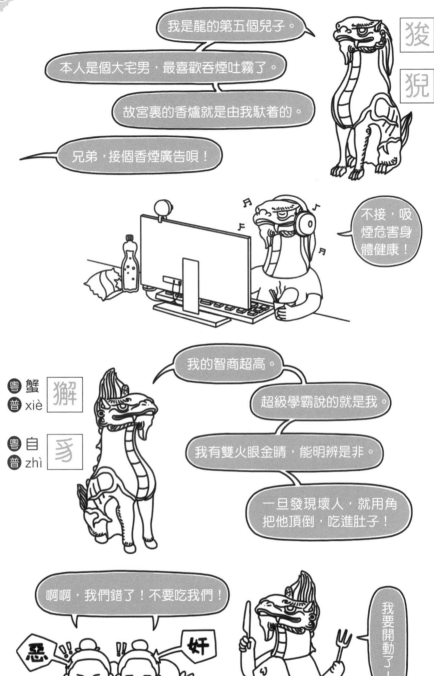

那最後趕來的這位是誰呀？皇帝住的乾清宮的屋脊上，騎鳳仙人身後只有九個神獸，沒有見過你呀！

在乾清宮你當然見不着我啦！我可不是呆在乾清宮的。你要想見我，只有在一個地方才可以找到我！

行什

我叫行什，排行第十。

我長得像猴子，背上還有對翅膀。

唯一能見到我的地方，就是故宮裏的太和殿。

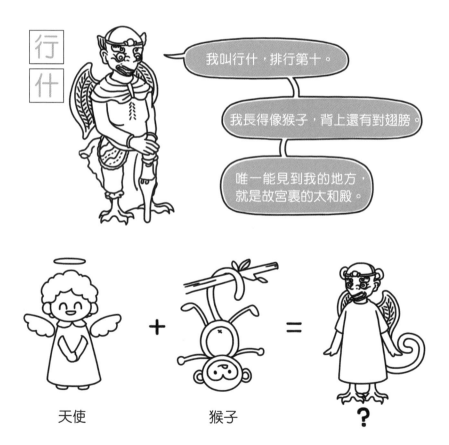

天使　　　　+　　　　猴子　　　　=　　　　？

哇，你這麼大牌的啊！

這可不怪我！

建築物上脊獸的數目有着嚴格的規定，

根據**建築等級**的不同，脊獸的個數也不同。

故宮裏級別最高的建築就是太和殿，仙人後面排着 10 個脊獸，代表着天子至高無上的地位。再往下就是皇帝居住的乾清宮，有 9 個脊獸，「九」可是皇帝獨享的數字，是九五之尊的象徵；坤寧宮是皇后的寢宮，用 7 個；妃嬪居住的東西六宮，用 5 個；某些配殿，就只用 3 個甚至 1 個了。

脊獸就從最末的行什開始依次往前遞減。

民間還有首**歌謠**用來記脊獸呢！

一龍二鳳三獅子，海馬天馬六押魚，狻猊獬豸九斗牛，最後行什像個猴。

小小博士

在紫禁城裏，除了至高無上的太和殿能享有 10 個脊獸，就屬皇帝使用、居住的宮殿次之了，比如保和殿和乾清宮的屋脊上都有 9 個脊獸。但是還有個宮殿，它的屋脊上也破天荒地站了 9 個脊獸，那便是慈寧宮了。

慈寧宮是皇太后，也就是皇帝的母親居住的地方。清朝前期，鼎鼎大名的孝莊文皇后就住在這裏。孝莊文皇后就是順治皇帝的生母，康熙皇帝的祖母。不過當時慈寧宮的屋脊上只有 7 個脊獸。後來孝聖憲皇后，也就是乾隆皇帝的母親也住進了這裏，為此，乾隆皇帝派人將宮殿重新修整了一番，將單簷改成了重簷，並且在原屋脊上又加了兩個脊獸，就變成了我們現在看到的 9 個，以此來彰顯皇太后的尊貴無比。

都配合一下往前擠擠哈，前面還有空位。

給媽媽的禮物

哈哈劇場

之「看風景」

文物日誌

星期 ____

第五站

清明上河圖

個人檔案

姓　　名：清明上河圖

年　　齡：900多歲

血　　型：絹型

職　　業：書畫

出生日期：北宋

出生地：河南省開封市

現居住地：故宮博物院

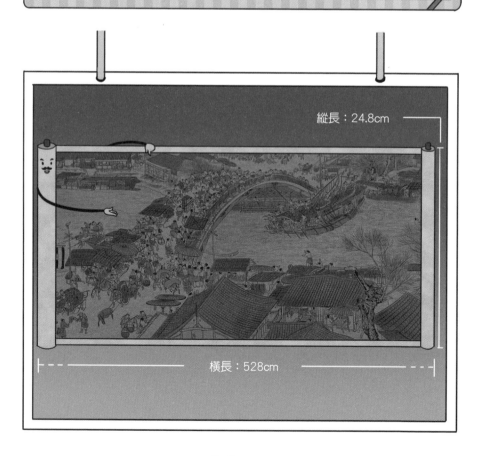

縱長：24.8cm

橫長：528cm

4月6日　星期六　　　　　　　　　　　　　多雲

　　爺爺說《清明上河圖》就像是一架全景照相機，把一座城市的人物、風景都拍了下來，讓我們看到了北宋人真實的生活百態，既生動又有趣。

這到底是怎樣的一位畫家，能創作出《清明上河圖》這麼偉大的作品呢？

他的眼睛大概比照相機還厲害。

他一定有個超級無敵大的腦袋，能裝下這麼多的風景。

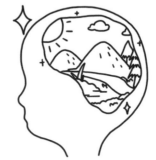

他的手簡直就是人肉複印機。

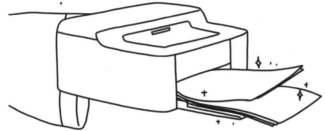

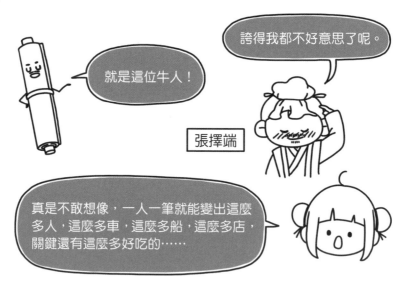

就是這位牛人！

誇得我都不好意思了呢。

張擇端

真是不敢想像，一人一筆就能變出這麼多人，這麼多車，這麼多船，這麼多店，關鍵還有這麼多好吃的……

汴京 TV

不用 998！不用 668！68 讓你帶回家！

特 賣 ／／ 張擇端牌神筆，考試一路助你！只要買了這

汴京日報

一筆在手，
　　考遍神州！

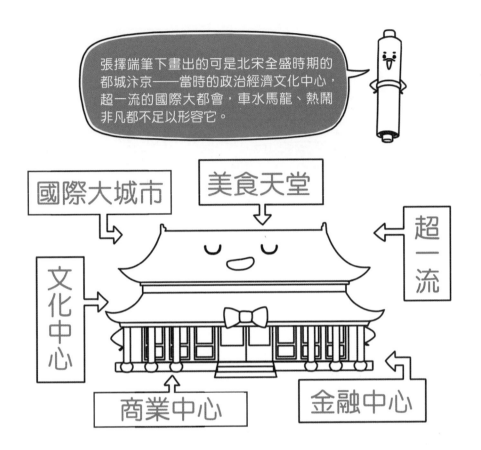

張擇端筆下畫出的可是北宋全盛時期的都城汴京——當時的政治經濟文化中心，超一流的國際大都會，車水馬龍、熱鬧非凡都不足以形容它。

國際大城市

美食天堂

超一流

文化中心

商業中心

金融中心

汴京寶寶

後梁

魏

後晉

後周

後漢

汴京就是現在的河南開封市。早在戰國時代，魏國的都城就建在這裏，當時叫作大梁。五代時期的後梁、後晉、後漢、後周也都在這裏建都。經過這麼多年的建設，汴京城當然是一派繁華富庶的景象。

呃……先生您這麼長，我都不知道從哪裏開始看了！

來來來，我教你！

畫面是**從右至左**展開的，得去右邊那頭看。

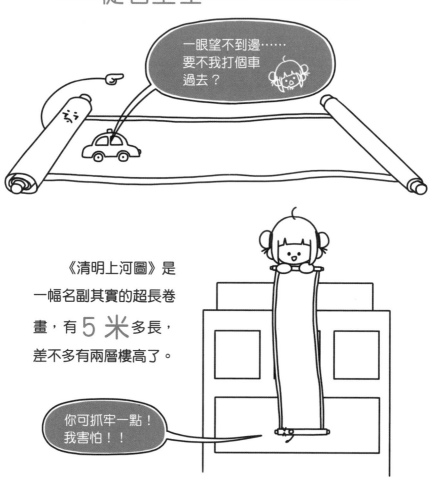

一眼望不到邊……要不我打個車過去？

《清明上河圖》是一幅名副其實的超長卷畫，有 **5 米**多長，差不多有兩層樓高了。

你可抓牢一點！我害怕！！

其實我是一部生動的連續劇，有上中下三集。

《清明上河圖》

導演／編劇：張擇端

演員：宋人

劇本 ----→

第一集 主要展現了 市郊 的景色，
也就是你們現在說的城鄉結合的風光。

第一集
美麗的汴京市郊

開始了！開始了！

開發一下農家樂應該不錯！

汴京城外的農村有一望無垠的田野，有縱橫交錯的河道，岸邊有粗壯的樹木，還有農家小院。

有一隊駄着木炭的小毛驢正朝着小橋方向行進。

咦，這裏有頂轎子呀！好奇怪，轎子上怎麼插滿了枝條呢？這隊人是要去幹嗎呢？

根據推測，他們應該是出城掃墓歸來，估計順路還春遊了一番。

你們的這些推測都得靠我留下的大作來驗證！

東京夢華錄

孟元老

《東京夢華錄》記錄了北宋都城東京（也就是汴京）的

城市**風俗人情**。書裏面提到，宋朝人在清明時節有用

楊柳、雜花裝飾轎子的習俗。

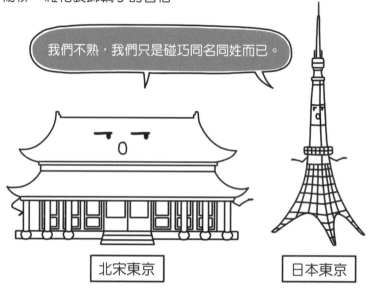

北宋東京　　　　　日本東京

第二集 的主角就是這座「**虹橋**」了，

你看，橋上都是熙熙攘攘的行人，還有優美的汴河兩岸風光。

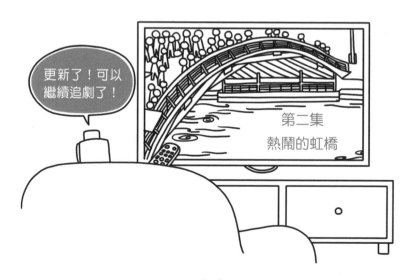

第二集
熱鬧的虹橋

虹橋是全圖的**中心**，也是全圖中出鏡人物最多、場景最熱鬧、劇情最精彩的一處。

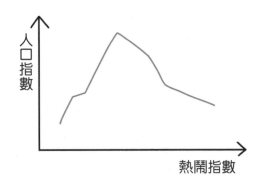

虹橋橫跨的這條河叫汴河。汴河是北宋時期全國重要的交通要道，糧食、鹽、木炭，還有許多其他貨品都是通過河道運輸的。

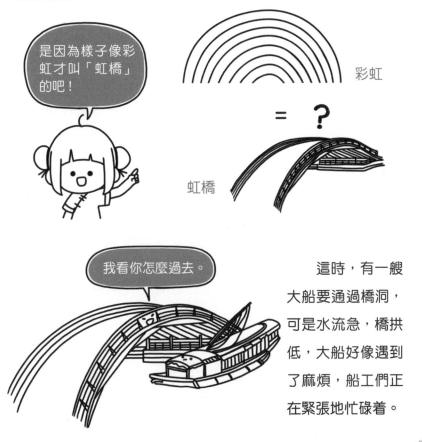

這時，有一艘大船要通過橋洞，可是水流急，橋拱低，大船好像遇到了麻煩，船工們正在緊張地忙碌着。

他們有的正在用力撐篙竿；有的用長竿頂住橋樑；有的忙着放下高高的桅杆；有的在大聲呼喊其他船隻注意安全；還有的在橋頂上往下拋着繩索。

人們都圍過來看熱鬧，有人指手畫腳出主意，有人着急乾瞪眼，大家都為大船捏了一把汗。

那大船到底順利通過沒啊？

別急，你看虹橋前面不是也有艘大船啊，船上的船工一臉輕鬆，說明這類大船是可以順利通過的。

大兄弟，祝你好運！

再來看看橋頭。有許多小商販在這兒搭了竹棚，支起遮陽傘，擺上小攤：有賣各種小吃的，賣日用雜貨的，賣剪刀工具的。有人大聲吆喝招攬生意，有人討價還價正在打口水仗，還有一言不合就抬槓互懟的。

甜掉牙的糖葫蘆！

不好吃不要錢的豆腐！

瞧一瞧，看一看！會跳舞的雞！

小夥伴，歡迎進入大宋美食步行街！

汴河**兩邊**更是熱鬧非凡。

熱乎乎、剛出籠的饅頭！

饅頭鋪

小酒店

小酒

這算是最早的廣告招牌嗎？

王家紙馬店

老闆，你賣的是啥？

清明節大家要掃墓懷念已逝的親人，這些紙人、紙馬、紙紮的樓閣都是掃墓用的祭品。

腳店

腳店是啥？洗腳？賣鞋？難道是賣鹵鵝掌的？！

難題解答特派員

不好意思，我又來了！

根據《東京夢華錄》的記載，汴京城的餐飲店中，規模比較小的，做些零賣生意的稱為「腳店」；而規模比較大的，官方直屬的稱為「正店」。

大概就是小餐館和大酒店的區別。

「飲子」又是個啥？

飲子是<u>涼茶</u>一類的飲料，是用<u>中草藥</u>煎熬出來的。

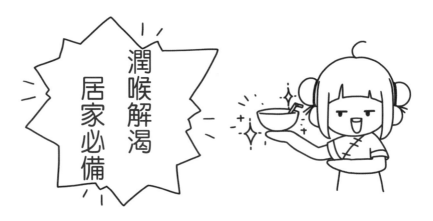

潤喉解渴 居家必備

第三集 是 城市 裏的街景重現，

商店鱗次櫛比、行人摩肩接踵，車馬絡繹不絕。

哇，主角是要進城了嗎？

第三集
繁華的都市

第三集的一開始，
出現了整幅圖中最大
最高的建築——

城門樓。

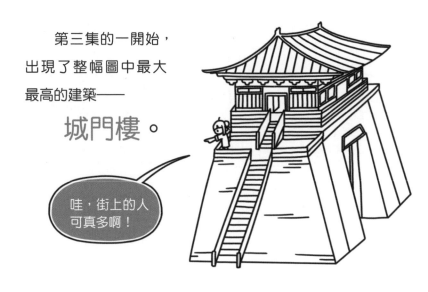

哇，街上的人
可真多啊！

古 今 人 物 圖 鑒

大宋 VS 現代

官 吏　　公 務 員

是。

僕 人　　女 傭

來買！

商 販　　商 人

快上車！

車轎夫　　司 機

運貨郎　速遞員

您的快遞。

作坊工人　手藝人

說書藝人　娛樂明星

話說……

理髮匠　髮型師

托尼老師，你在幹嗎？居然直接用刀刮臉！

我在給客人修面！

修車師傅　汽車維修員

郎　中　醫　生

要吃藥。

看相

算命

貴家婦女

名媛

行腳僧人

僧侶

頑皮兒童

搗蛋鬼

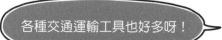

各種交通運輸工具也好多呀！

大宋車博會

歡迎光臨大宋車博會！

轎子

現在可是旅遊景區的
特色項目了！

駝隊　　牛車　　馬車　　驢車

哎喲，逛個街順便逛動物園了！

人力車　　太平車　　棕蓋車

小滿，看完了三集連續劇感覺怎麼樣呀？好看嗎？

第三集

第二集

第一集

900多年前的汴京城真是讓我大開眼界，現在我只想做一件事。

王牌導遊夏小滿

來來來，跟緊了！這邊走！讓我帶您汴京一日游！

專業！

負責！

不坑不騙！

小小博士

　　《清明上河圖》，作為中國十大傳世名畫之一，研究它有助於我們更好地了解宋朝的風俗民情。可是這麼偉大的作品似乎並沒有得到那位酷愛繪畫的頂級文青宋徽宗的喜歡。他曾經命人搞了個《宣和畫譜》，收錄了當時許多幅名畫，唯獨沒有《清明上河圖》。後來乾脆將此畫轉手送給了他舅舅，可見這畫在宋徽宗眼裏，只能算個小玩意。宋徽宗真正的心肝寶貝，是一位天才少年的大作——《千里江山圖》，他後來把這幅摯愛的寶貝送給了自己的知音，當時的頂級書法家，也是歷史上著名的大貪官，宋朝的大蛀蟲——蔡京。

我恨！

哈哈劇場

之「日食」

文物日誌

星期 ____

第六站

黑漆彩繪樓閣

羣仙祝壽鐘

★ 個人檔案 ★

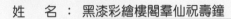

姓　　名：	黑漆彩繪樓閣羣仙祝壽鐘
年　　齡：	200 多歲
血　　型：	黑漆、木質與金屬混合型
職　　業：	鐘錶
出生日期：	清朝
出生地：	紫禁城
現居住地：	故宮博物院

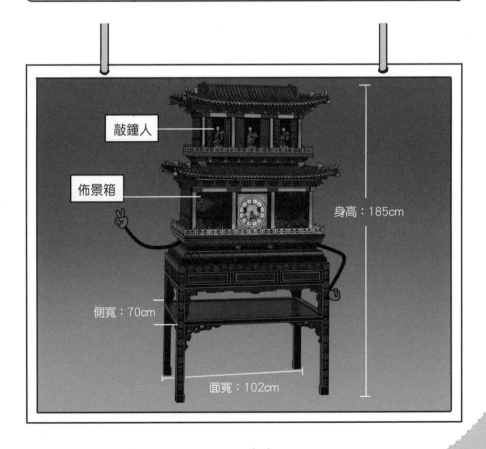

敲鐘人

佈景箱

身高：185cm

側寬：70cm

面寬：102cm

4月14日　星期日　　　　　　　　　　晴

　　我要去鐘錶館拜訪故宮鐘錶界的大哥大——黑漆影繪樓閣羣仙祝壽鐘大哥。這位大哥您沒事取個這麼拗口的名字幹啥，據說這個鐘錶裏一共有七套機械系統，它們完美地配合運作，過了這麼多年都還能精準地報時呢。

終於找到鐘錶館了！

我的媽呀！這哪裏是鐘錶，這分明是一座小山啊！

老祖宗，我是您的後代。

哪裏來的發育不良的小毛孩？

老兄，作為一座鐘，您的塊頭也太太太大了吧。

鐘錶界的體格擔當

我可不單負責報時，我還是精美的擺件，更是乾隆皇帝鍾愛的大玩具。

迷你手辦

我好喜歡這個玩具！

明朝和清朝的皇帝們都很喜歡自鳴鐘。

1602 年，有一位特殊的客人拜訪了明朝的萬曆皇帝，他就是著名的意大利傳教士<u>利瑪竇</u>。

利瑪竇帶了 **2 件** 見面禮來觀見，萬曆皇帝見了禮物，狂喜不已。

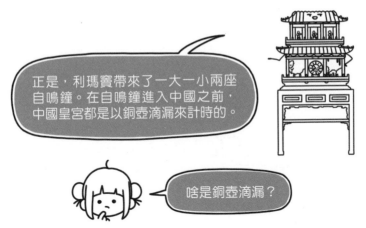

正是，利瑪竇帶來了一大一小兩座自鳴鐘。在自鳴鐘進入中國之前，中國皇宮都是以銅壺滴漏來計時的。

啥是銅壺滴漏？

上層水壺裏的水滴到下層水壺中，一層一層往下，到最後一個水壺，隨着水壺中水面的上升，木浮箭也跟着慢慢升起來，再根據浮標上指示的**刻度**來讀取時間。

哈哈哈，好玩！

→ 木浮箭

銅尺

清朝的順治皇帝、康熙皇帝，還有乾隆皇帝也都非常喜歡自鳴鐘。

難道愛好也會遺傳？

這些皇帝裏**最痴迷**鐘錶的要數乾隆了。

他除了一擲千金購買西洋鐘錶，

還在宮中親自指揮製作。

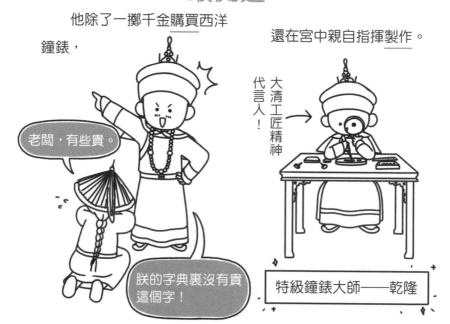

老闆，有些貴。

朕的字典裏沒有貴這個字！

大清工匠精神代言人！

特級鐘錶大師——乾隆

現在故宮博物院鐘錶館裏收藏的很大一部分都是這位皇帝不遺餘力收集、製造的奇鐘異表。

厲害的是，這些鐘錶不但能精確**報時**，還有很多**小機關**呢。比如能通過機械裝置讓日月星辰、車馬行人都動起來，還能讓花兒盛開、鳥兒鳴叫。

要是這股聰明勁用到國家建設上，後來還會被人羣毆？

英 法 德 清

鐘大哥，您也是出生在乾隆年間嗎？

沒錯，我也是誕生在乾隆年間，花費了工匠們五年多的時間才最終製作完成呢。

黑漆彩繪樓閣羣仙祝壽鐘的造型為**二層樓閣**。

閣樓一層正中是一個**雙針時鐘**，鐘盤上寫有「乾隆年製」的字樣，還配有黃色的琺瑯。

咦，您身上鐘盤旁邊的兩個小房間是幹嗎的呢？

這兩個小房間就像兩個戲台，各自有精彩的大戲上演。

坐 等 開 戲

左邊房間 表演的內容是

「海屋添籌」。

年度大戲正式
開演，打板！

傳說在蓬萊仙島上有三位仙人，

有一天，他們聊着聊着就互相比起了誰更長壽。

其中一位
仙人說他小時
候和開天闢地
的盤古大人是
朋友。

另一位老者笑
眯眯地說道：「我
吃完蟠桃，把吐出
來的桃核隨手丟在
崑崙山下，桃核現
在已經堆得跟崑崙
山一樣高了！」

第三位老者則不急不慢地說道：「每當我看到人間的滄海變為桑田，我就用一塊竹片做記號，現在攢起來的竹片已經裝滿十間屋子了。」

這就是所謂的「海屋添籌」了。也不知這三位老者真是**超級神仙**，還是**牛皮大王**，反正「海屋添籌」的典故就這樣流傳下來了。

超級神仙、牛皮大王，傻傻分不清楚。

右邊房間 表演的內容是「羣仙祝壽」。

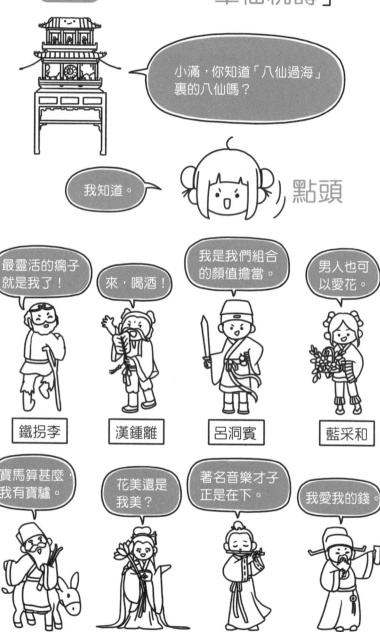

小滿，你知道「八仙過海」裏的八仙嗎？

我知道。 點頭

最靈活的瘸子就是我了！
鐵拐李

來，喝酒！
漢鍾離

我是我們組合的顏值擔當。
呂洞賓

男人也可以愛花。
藍采和

寶馬算甚麼，我有寶驢。
張果老

花美還是我美？
何仙姑

著名音樂才子正是在下。
韓湘子

我愛我的錢。
曹國舅

右邊房間上演的正是

八位仙人依次給 **壽星** 敬獻寶物的場面呢！

祝您長命百歲！

祝您福如東海！

祝您壽比南山！

祝您老來得子！

乖！

真乖！

太乖了！

閣樓的二層有 **3** 間房屋，裏面各有一位報時的人。

我是老二。

我是老大。

我是老三。

鐘碗

我們手裏拿的是鐘碗。

鐘碗是用來吃飯的嗎？

拜託發揮一下想像力好嗎？誰沒事拿個碗，你以為我們是乞丐嗎？

這是用來敲出響聲報時的。

每逢 3、6、9、12 時，

房門就會自動開啟，報時人就走到門外。

老二敲鐘碗發出「叮」的聲音，老三就跟着敲鐘碗發出「噹」聲，「叮噹」聲響一次就表示一刻鐘過去了。等他們敲了四次「叮噹」，也就是滿一個小時後，老大出來敲鐘碗報時。

我們是——叮噹交響樂團。

等報時完畢，就會有樂曲響起，第一層景箱內的活動裝置開始運作。左景箱內就開始上演「海屋添籌」，右景箱上演「羣仙祝壽」。等樂曲結束，第二層的三個報時人就退回門內，樓門關閉，景箱內的各種活動裝置復位。

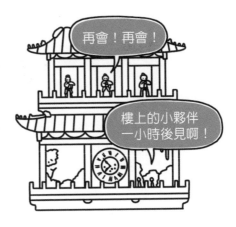

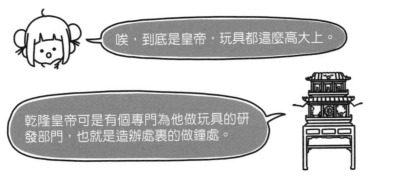

做鐘處匯集了一批具有專業知識的洋人，這款祝壽鐘就淋灘盡致地體現了他們高超的製造水平。洋技師的加盟也帶動了中國鐘錶製造業的發展。

小小博士

大家還記得用兩座自鳴鐘令萬曆皇帝興奮不已的洋人利瑪竇嗎？這位利瑪竇先生不但是位傳教士，還是位熱愛學習的好學生；不但是位熱愛學習的好學生，還是個擅長教學的好老師。他到了中國之後就深深沉迷於古老燦爛的中華文明，開始認真研究中國文化，此外也順帶當起了外教，將西方的天文、數學、地理等先進科學技術知識傳授給中國人。明代著名的科學家徐光啟就是利瑪竇的學生，他們一起合作翻譯了《幾何原本》的前六卷，將西方的經典著作介紹到中國，讓更多的中國人來學習。

哈哈劇場
之「理想型」

文物日誌

星期 ＿＿＿

博物館
通關小列車

博物館通關小列車歡迎你來挑戰！

選一選

老規矩，熱身運動做起來吧！

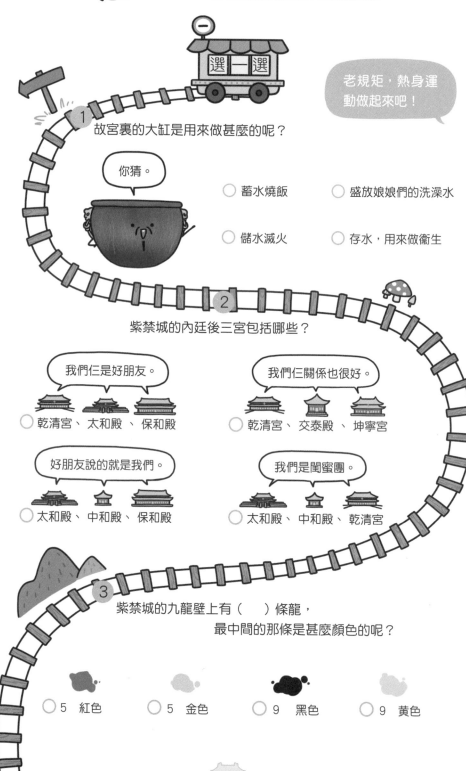

1 故宮裏的大缸是用來做甚麼的呢？

你猜。

○ 蓄水燒飯　　○ 盛放娘娘們的洗澡水

○ 儲水滅火　　○ 存水，用來做衛生

2 紫禁城的內廷後三宮包括哪些？

我們仁是好朋友。
○ 乾清宮、太和殿、保和殿

我們仁關係也很好。
○ 乾清宮、交泰殿、坤寧宮

好朋友說的就是我們。
○ 太和殿、中和殿、保和殿

我們是閨蜜團。
○ 太和殿、中和殿、乾清宮

3 紫禁城的九龍壁上有（　）條龍，最中間的那條是甚麼顏色的呢？

○ 5　紅色　　○ 5　金色　　○ 9　黑色　　○ 9　黃色

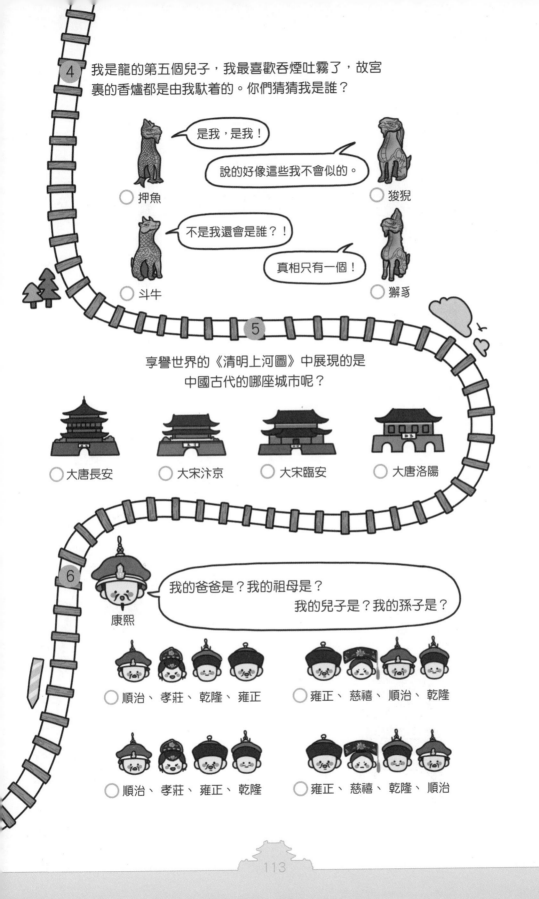

4. 我是龍的第五個兒子，我最喜歡吞煙吐霧了，故宮裏的香爐都是由我馱着的。你們猜猜我是誰？

是我，是我！

說的好像這些我不會似的。

○ 押魚

○ 狻猊

不是我還會是誰？！

真相只有一個！

○ 斗牛

○ 獬豸

5. 享譽世界的《清明上河圖》中展現的是中國古代的哪座城市呢？

○ 大唐長安　　○ 大宋汴京　　○ 大宋臨安　　○ 大唐洛陽

6. 康熙

我的爸爸是？我的祖母是？

我的兒子是？我的孫子是？

○ 順治、孝莊、乾隆、雍正

○ 雍正、慈禧、順治、乾隆

○ 順治、孝莊、雍正、乾隆

○ 雍正、慈禧、乾隆、順治

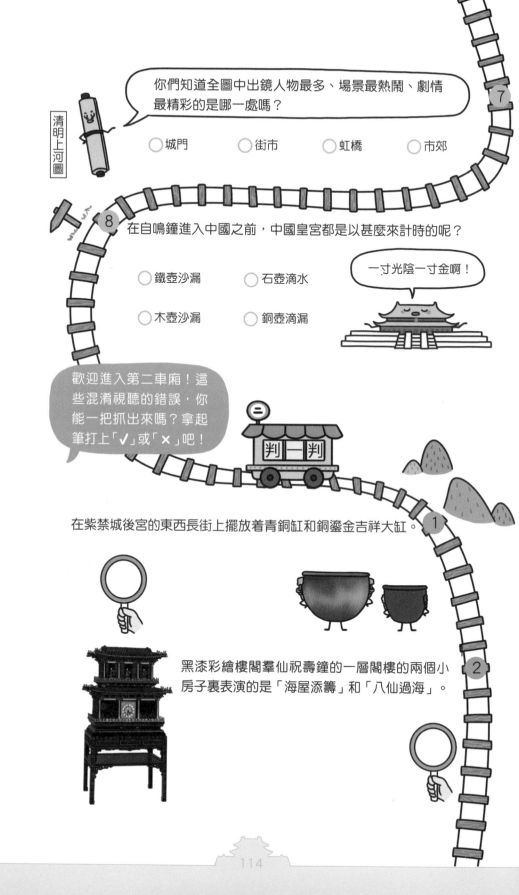

你們知道全圖中出鏡人物最多、場景最熱鬧、劇情最精彩的是哪一處嗎？

清明上河圖

○ 城門   ○ 街市   ○ 虹橋   ○ 市郊

8 在自鳴鐘進入中國之前，中國皇宮都是以甚麼來計時的呢？

○ 鐵壺沙漏   ○ 石壺滴水

○ 木壺沙漏   ○ 銅壺滴漏

一寸光陰一寸金啊！

歡迎進入第二車廂！這些混淆視聽的錯誤，你能一把抓出來嗎？拿起筆打上「✓」或「✗」吧！

判一判

在紫禁城後宮的東西長街上擺放着青銅缸和銅鎏金吉祥大缸。   **1**

黑漆彩繪樓閣羣仙祝壽鐘的一層閣樓的兩個小房子裏表演的是「海屋添籌」和「八仙過海」。   **2**

③ 脊獸中領頭的騎鳳仙人傳說就是楚國君主，當時他被敵人追殺，危難之時有隻鳳凰搭救了他，所以「仙人騎鳳」就有「逢凶化吉」的寓意。

哦，是嗎？

④ 意大利著名傳教士利瑪竇叩開了清朝皇宮的大門，還送了兩個自鳴鐘給康熙皇帝，康熙皇帝樂開了花。

連一連

恭喜你連闖兩節車廂，第三車廂等你來挑戰！

① 這些都是宋朝時就出現的店鋪和小攤，快給它們掛上招牌吧！

前進

腳店

當鋪

王家紙馬店

藥鋪

饅頭鋪

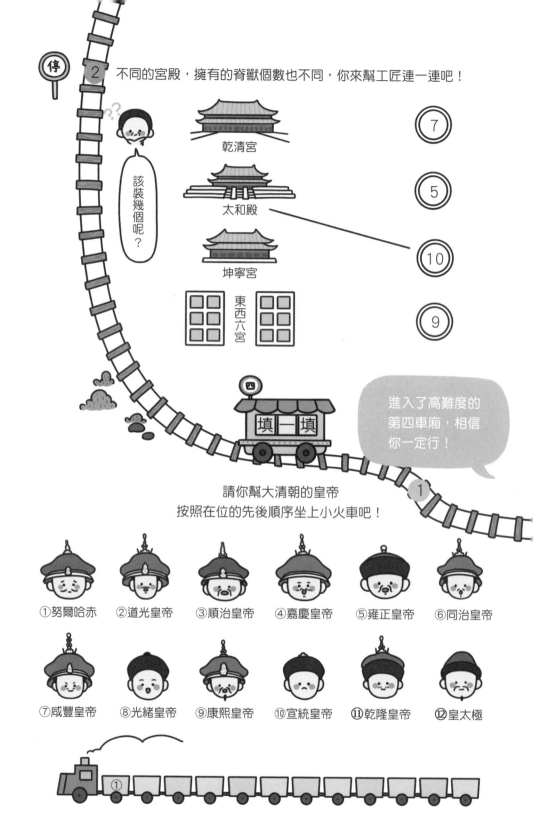

不同的宮殿，擁有的脊獸個數也不同，你來幫工匠連一連吧！

停 ②

該裝幾個呢？

乾清宮 ⑦

太和殿 ⑤

坤寧宮 ⑩

東西六宮 ⑨

填一填 四

進入了高難度的第四車廂，相信你一定行！

①

請你幫大清朝的皇帝
按照在位的先後順序坐上小火車吧！

①努爾哈赤　②道光皇帝　③順治皇帝　④嘉慶皇帝　⑤雍正皇帝　⑥同治皇帝

⑦咸豐皇帝　⑧光緒皇帝　⑨康熙皇帝　⑩宣統皇帝　⑪乾隆皇帝　⑫皇太極

①

2

八仙過海中的八仙是哪八位呢？你還記得嗎？

(　　　)　　(　　　)　　(　　　)　　(　　　)

(　　　)　　(　　　)　　(　　　)　　(　　　)

3

小朋友，快來幫脊獸排下隊吧。

③

不要吵啦，快按順序來排隊！

①獬豸　②押魚　③龍

④獅子　⑤鳳　⑥天馬　⑦斗牛　⑧狻猊　⑨行什　⑩海馬

第五關了，擦亮你的眼睛吧！

我們有五處不同呢，快點 🔍 找出來吧！

1

2

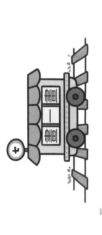

「和我們一起拍張大合照吧！」

我是答案

我是答案

一　選一選

1. 儲水滅火　　2. 乾清宮、交泰殿 、坤寧宮

3. 9　黃色　　4. 狻猊　　5. 大宋汴京

6. 順治、孝莊、雍正、乾隆　　7. 虹橋

8. 銅壺滴漏

二　判一判

1. ✗　　2. ✗　　3. ✗　　4. ✗

五　找一找

1. 　

三　連一連

1. 　　2.

四　填一填

1. ① ⑫ ③ ⑨ ⑤ ⑪
   ④ ② ⑦ ⑥ ⑧ ⑩

2. 鐵拐李　韓湘子　何仙姑　呂洞賓
   藍采和　曹國舅　漢鍾離　張果老

3. ③ ⑤ ④ ⑩ ⑥
   ② ⑧ ① ⑦ ⑨

2.

六　想一想

龍飛鳳舞　鳳舞九天　天長地久　久別重逢　逢凶化吉

吉祥如意　意味深長　長年累月　閉月羞花

　　親愛的小朋友，感謝你和博物館通關小列車一起經歷了一段美好的知識旅程。這些好玩又有趣的知識，你都掌握了嗎？快去考考爸爸媽媽和你身邊的朋友吧！

　◆ 答對 8 題以上：真棒，你是博物館小能手了！

　◆ 答對 12 題以上：好厲害，「博物館小達人」的稱號送給你！

　◆ 答對 15 題以上：太能幹了，不愧為博物館小專家！

　◆ 全部答對：哇，你真是天才啊，中國考古界的明日之星！

博物館
參觀注意事項

▼

博物館參觀注意事項

作者 杜瑩

● 有着無限童心與愛心的「大兒童」

● 正兒八經學歷史出身的插畫師

● 在寧波工程學院主講藝術史的高校教師

● 夢想做個把中華傳統文化講得生動有趣的「孩子王」